motifs
celtiques

Textes et dessins de **David Balade**

Editions OUEST-FRANCE

Je remercie chaleureusement :

... Michelle de la Rompardais,
don Bernardo, Anh Huan, mes ancêtres, et tous
ceux qui me soutiennent dans ma quête...

David BALADE

L'éditeur remercie le Conseil général du Morbihan pour le prêt gracieux de
la photographie de la dalle 19 du cairn de Gavrinis(56) . Cliché D. Truffaut .

Crédits photographiques :

Introduction
4 © Musée d'Angoulême, Casque d'Agris. Photo Gérard Martron
5 © Conseil Général du Morbihan, Dalle 19 du cairn de Gavrinis. Photo D. Truffaut
6 © Musée de Bretagne, Rennes, pour le détail du buffet de Jacques Phillipe
et pour le détail de corsage bigouden
9 © Paris, musée national du Moyen Age - thermes et hôtel de Cluny - Pilier des Nautes - Photo RMN, Gérard Blot

Entrées de chapitre
10 © Mer et Mer Valéry Hache - Vague
28 © Michel Coz - Marée basse à la Trinité sur mer
46 © Yvon Boëlle - Forêt de Huelgoat - 64 © Bruno Roux - Kercadoret
80 © Jon Arnold Images/Alamy - Croix celtique

Edition : Catherine Dandres Franck
Conception graphique et maquette : Polymago - Isabelle Chêne, Pierre-Julien Descoins

Photogravure : Scann'Ouest, à Rennes (35)
Impression : Imprimerie Pollina, à Luçon (85)
© 2003, 2007 Éditions Ouest-France - Édilarge S.A., Rennes
ISBN : 978-2-7373-4140-3 - N° d'éditeur : 5328.06.03.08.11
Dépôt légal : janvier 2007 - Imprimé en France

sommaire

Introduction

Triskèles, entrelacs, spirales, arbres de vie... autant de motifs familiers
pour tous ceux qui s'intéressent à l'univers des formes celtiques et bretonnes.
On classe ainsi dans le même registre d'art celte aussi bien les pages
sublimes du livre irlandais de Kells, que l'exubérance plastique du
casque d'Agris, trouvé en Charente, ou encore l'élégance abstraite et
inattendue d'un miroir trouvé à Desborough en Angleterre. Tout au long
de l'histoire, on retrouve cet art celte au travers de ces formes désormais très
reconnaissables, car utilisées à foison sur les pochettes de disques, logos de
cercles celtiques ou encore les objets touristiques les plus divers... Mais ces
formes courbes, végétales et ces entrelacs parfois très complexes sont-ils
l'apanage du seul art celte ? La question induit déjà la négative.
Les entrelacs, par exemple, s'étirent déjà sur des frises de l'Egypte antique que les artistes coptes et
byzantins s'approprieront quelques millénaires plus tard. L'arbre de vie parcourt de même les siècles,
depuis les parements de murs babyloniens, jusqu'à l'une des premières grandes mosquées du monde
musulman, la mosquée de Damas. Quant à la spirale, elle accompagnait déjà les premières traces
de l'artisanat du néolithique. Des céramiques trouvées à travers le monde montrent la prédominance
de ce motif sur les premières créations artisanales. Plus proche de nous, du moins géographiquement,
ce sont les vestiges mégalithiques de la frange atlantique, telles les allées couvertes de **Gavrinis** dans
le Morbihan, ou de Newgrange en Irlande, qui porteront ces premières formes spiralées. Des formes
reprises par les artisans de l'âge du bronze, sur
des armures, des bijoux, etc.
Ce qui fait la spécificité de l'art celte, c'est la
virtuosité avec laquelle les artistes et artisans celtes
ont associé ces motifs – triskèles, entrelacs, spirales,
volutes et autres arbres de vie, allant jusqu'à recouvrir

*Dalle 19 du cairn de Gavrinis.
Cliché D. Truffaut. Propriété du Conseil général
du Morbihan.*

Casque d'Agris, art celtique du IVᵉ siècle avant J.C.
Dépôt de l'Etat. Musée des beaux-arts d'Angoulême.
Photographie de Gérard Martron.

toute la surface d'un casque, d'une broche, d'une page de livre manuscrit d'une façon presque obsessionnelle et pourtant si structurée. Ainsi depuis ces premiers balbutiements, aux environs des VIIIᵉ-IXᵉ siècles avant J.-C., jusqu'aux invasions vikings, autour de l'an mille, les artistes celtes ont creusé jusqu'au plus profond les multiples possibilités de ces motifs, à la fois symboliques et décoratifs. Contrairement à ce que pouvaient prétendre les Grecs et les Romains, témoins de l'histoire celte antique, ou plus proche de nous, les détracteurs de l'art médiéval, l'art celte répond à une logique, à des canons qui lui sont propres, à une esthétique élaborée au fil des siècles. L'art celte fait son apparition au VIIIᵉ siècle avant J.-C., en Europe centrale (sud de l'Allemagne, Autriche, est de la

France...) avec ce que l'on appelle **le style de Halstatt**. Cette période est celle des débuts de l'âge du fer en Europe, un nouveau matériau que les artisans utiliseront pour fabriquer essentiellement (en tout cas de ce qu'il ressort des fouilles archéologiques) des figurines animalières, vaches et taureaux, oiseaux surtout, des chaudrons et des sceaux à vins aux motifs de rouelles et de héros stylisés. Parmi ces pièces, issues de mobiliers funéraires, se distinguent plus particulièrement des chars somptueux et les premiers torques, gros anneaux de cou qui perdureront tout au long de l'histoire de l'art celte. C'est une période où les Européens du Nord subissent encore une certaine influence esthétique des cultures méditerranéennes dominantes : Grecs, Etrusques, Phéniciens...

A partir du Vᵉ siècle avant J.-C., les Celtes commencent à quitter ce foyer d'Europe centrale pour émigrer plus à l'ouest jusqu'à l'actuelle Espagne, et à l'est jusqu'en Turquie. Paradoxalement, cette période, dite de **la Tène**, est une période d'affirmation de l'art celte par rapport aux modèles méditerranéens. Le génie celte commence à opérer. Ainsi les frises de lyres, de palmettes et de peltes du monde classique commencent à se déformer : surgissent alors les premiers triskèles, les entrelacs et de nouvelles frises végétales plus libres. L'art celte se détache également de la figuration du monde qui l'entoure, pour produire ces formes de plus en plus abstraites, certainement symboliques.

La période de la Tène prendra fin avec l'invasion romaine sur le territoire celte (vers 50 avant J.-C.). **L'art gallo-romain** tentera la difficile union de cet art celte de l'imaginaire avec un retour des figurations propre au modèle classique. L'art celte se maintient

pourtant à la périphérie de l'empire tentaculaire, par-delà la Manche. L'Irlande et l'actuelle Grande-Bretagne deviennent alors les conservatoires des anciennes formes celtiques élaborées depuis cinq siècles sur le continent. L'Irlande parce qu'elle n'a jamais été conquise par Rome, la Grande-Bretagne parce que conquise tardivement et évacuée assez tôt. A cette époque, les objets d'art celte atteignent au plus grand raffinement. Les jeux de compas deviennent de plus en plus complexes sur les casques, les boucliers votifs ou les revers de miroirs.

Après le Ve siècle de notre ère, **cet art celte insulaire** persiste pour l'essentiel en Irlande. A l'instar des missionnaires chrétiens qui ont sans doute accepté dans leurs rangs bardes et filids, poètes et devins héritiers du savoir druidique, les motifs celtes sont utilisés pour glorifier Dieu. C'est l'époque des grands livres enluminés, dont le plus célèbre, le livre de Kells, est considéré comme un des fleurons de l'art médiéval irlandais, européen même. L'influence de l'école irlandaise porta ses fruits à travers l'Europe dans le sillage des missionnaires irlandais, depuis le pays de Galles, la Northumbrie, peut-être l'Armorique, jusqu'en Suisse, et même le nord de l'Italie. Les conquêtes anglo-normandes du XIIe siècle, mettent brutalement un terme à cette page de l'histoire de l'art.

Cette esthétique celtique s'est évanouie dans le temps. Cependant, on retrouvera çà et là quelques œuvres d'inspiration celtique dans l'histoire de l'art nord-occidental : des pièces anecdotiques telles la mystérieuse harpe irlandaise savamment ornée de Brian Boru (XIIIe siècle ?), des patrons d'entrelacs destinés aux artisans de la Renaissance dessinés par Léonard de Vinci ou Albrecht Dürer...

Il apparaît que ce sont les arts populaires qui auraient le mieux conservé à travers le temps le répertoire des formes les plus simples telles que la spirale et le triskèle, la chaînette et les entrelacs. Irlande, pays de Galles, Ecosse, Cornouailles, autant de régions et de pays que les folkloristes du XIXe siècle ont sondés pour déceler une particularité atlantique dans l'art de la broderie, l'ébénisterie, la céramique. En France, c'est, bien sûr, la Bretagne qui a hérité, par imprégnation, de ce goût pour les formes celtiques.

Doit-on alors reconnaître dans le mobilier traditionnel breton, avec ses roues, ses soleils et ses fleurs quadrilobées, une survivance d'un mobilier celtique

Broderies d'un corsage bigouden du début du XXe siècle. Collection musée de Bretagne, Rennes (détail)

Buffet de Jacques Philippe, 1938. Collection musée de Bretagne, Rennes. (détail)

disparu? Quant aux motifs des célèbres **broderies bigoudènes**, faut-il y voir une autre résurgence d'un art textile millénaire? En fait, aucune trace des plus anciennes créations artisanales, aucune trace écrite ou historique pour répondre à ces questions, seulement des suppositions, des similitudes... les plus inspirés croiront à cet héritage, d'autres y verront une expression universelle.

Les artistes du mouvement Seiz Breur, mouvement artistique des années 30 visant à « moderniser » la création artisanale bretonne, ne répondront pas non plus à ces interrogations. Cependant, leur travail permettra la synthèse des motifs antiques gaulois, des motifs médiévaux irlandais et des motifs folkloriques bretons avec la géométrie de l'Art déco. Ces travaux, bien que prometteurs, resteront anecdotiques, faute de moyens et peut-être d'intérêts à l'époque, mais garderont une certaine influence dans les créations à venir. En effet, l'artisanat d'après-guerre, dans une société avide de consommation et donc de productions de masse, tirera une certaine inspiration, en tout cas en Bretagne, dans les travaux des Seiz Breur : buffets, chaises, faïences aux motifs géométriques bretonnants, plus ou moins galvaudés, peuplent à présent les étals des brocanteurs, ou les inventaires de ventes aux enchères...

A partir des années 70, l'art celte prend un essor considérable, notamment au travers de la musique et de la danse, la joaillerie, l'illustration... en fait, plus généralement, tout un artisanat se réapproprie les motifs du passé pour répondre à cet engouement pour les cultures vernaculaires redécouvertes, sur fond de mondialisation décriée.

Le but de cet ouvrage est d'ouvrir une porte sur cet univers de formes et de symboles qu'est l'art celte. Vous y découvrirez de nombreux motifs inspirés d'une histoire riche et méconnue, et d'autres motifs issus de recherches plus personnelles.

La décomposition de certains motifs permettra à certains lecteurs de mieux comprendre les structures de ces dessins. En tout cas, ce recueil ne se voulant pas exhaustif, donnera au lecteur, je l'espère, l'envie de parcourir avec plus de sérénité les publications sur l'art et le monde celtique et peut-être de faire des rapprochements avec d'autres formes d'art graphiques, à travers le monde et l'histoire...

L'enluminure celtique

Après le Ve siècle de notre ère, l'art celtique connaît une certaine renaissance en Irlande, au pays de Galles, en Cornouaille et en Écosse. C'est une période de transition : l'Empire romain n'est plus et le monachisme celtique gagne en importance, plus particulièrement en Irlande. Désormais, les artistes celtes insulaires vont travailler pour la gloire de Dieu et exporter œuvres et savoir-faire sur le continent. Plus précisément, le VIIe, le VIIIe et le début du IXe siècle sont considérés comme l'âge d'or de l'art celte. De cette période, on a conservé trois chefs-d'œuvre de l'enluminure celtique : les livres de Durrow, Lindisfarne et Kells auxquels il sera fait référence de manière récurrente.

Le livre de Durrow

Comme les trois autres livres cités, le livre de Durrow est en fait une Bible réunissant les quatre évangiles des Saints Jean, Marc, Luc et Matthieu.
Datant vraisemblablement du milieu du VIIe siècle, cet évangéliaire offre aux regards l'une des premières ornementations sur vélins d'une telle qualité, dans le monde celtique. Les motifs celtiques du passé se mêlent ici harmonieusement à des éléments décoratifs pictes, germains, romains et byzantins.
On pense que le livre de Durrow aurait été commencé en Ecosse et qu'il aurait été terminé au centre de l'Irlande, où se trouve le site de Durrow. De nos jours, cet évangéliaire se trouve à la bibliothèque du Trinity College à Dublin.

Le livre de Lindisfarne

Lindisfarne est un monastère fondé en Northumbrie, région située au nord de l'actuelle Angleterre, par des missionnaires irlandais. Ce livre, de la fin du VIIe siècle, présente de très belles pages-tapis, enluminures en pleine page, aux motifs entrelacés extrêmement complexes. De par la proximité de Lindisfarne avec les royaumes saxons établis à l'époque en Northumbrie, on considère que ce livre démontre plus particulièrement une synthèse d'éléments germaniques et celtiques. Cet évangéliaire se trouve actuellement à la British Library de Londres.

Le livre de Kells

Cet autre évangéliaire, du début du IXe siècle, est considéré par certains comme un des principaux chefs-d'œuvre du haut Moyen Age européen. Déjà, Giraldus Cambrensis, historien du XIIIe siècle, y voit « non l'œuvre des hommes, mais celle des anges ». Tout comme les deux livres précédents, le livre de Kells présente des enluminures en pleine page, des scènes de la vie du Christ de grande qualité : la Vierge et l'Enfant, la Trahison de Judas, la Tentation du Christ... La page du Monogramme, ou page du Khi-Ro, nom donné d'après les initiales grecques du Christ, est l'une des pages les plus éblouissantes de cet art celtique de l'enluminure.
Actuellement, le livre de Kells se trouve à la bibliothèque du Trinity College à Dublin.

Certains des motifs présentés dans cet ouvrage sont directement inspirés par ces sources, les autres sont du ressort de ma propre création.

David Balade

Le matériel pour dessiner

A la fin de chaque chapitre, vous trouverez des schémas expliquant la construction de certains motifs présentés dans ce recueil. Il vous faudra , pour les réaliser, le matériel suivant disponible en papeterie et magasins pour artistes.

Pour le tracé :
- un crayon à papier HB, ou un porte mine,
- une gomme douce,
- des feutres noirs à encre indélébile et à pointe fine, ou des stylos d'architectes à encre de Chine,
- une règle plate graduée,
- un compas à charnière porte-crayon,
- un papier d'épaisseur suffisante comme du bristol, ou du velin 180 g.

Pour la couleur :
- des feutres « aquarellables »,
- des pinceaux à gouaches, n°2 pour les plus petits détails.

*Le Pilier des Nautes : pierre de « Jupiter », face D
(« un taureau aux trois grues »).*

*Les trois grues rappellent la récurrence sacrée
du trois dans la tradition celtique,
jusque dans cette sculpture gallo-romaine.*

Spirale

La spirale est probablement l'un des premiers motifs abstraits dessinés par l'homme. L'image tourbillonnante de l'eau, des airs et du feu a sans doute inspiré particulièrement les artistes celtes qui y ont reconnu l'expression la plus marquante de l'énergie de cet univers aux créations changeantes.

La spirale, image magnétique, fascine. Sa ligne semble nous guider vers un centre dont nous pressentions l'existence, ou nous extraire de ce centre pour nous conduire vers un autre monde…

Evolution d'un motif Spirale 1

Inflorescence, motif inspiré des spirales de la plus célèbre page-tapis du livre de Durrow, folio 3 v°. Dans cette page, les spirales sont associées à des formes semblables à des feuilles. L'ensemble suggère la profusion de vie végétale qui se retrouve comme un leitmotiv sur de nombreux objets d'art celte : broches, revers de miroirs, casques… Cette exubérance végétale paraît parfois très proche des créations de l'Art nouveau.

Variation de couleur Spirale 1

Spirales inspirées d'une spirale double du livre de Lindisfarne. L'art celtique a exploité à l'envi les possibilités du dessin au compas, réalisant des spirales simples, doubles ou triples, c'est-à-dire avec une, deux ou trois lignes partant d'un point central. Dès le IVe siècle avant J.-C., certaines pièces d'orfèvrerie, et des os gravés, vraisemblablement utilisés pour tracer des esquisses de motifs, révèlent la trace de pointes de compas. Les spirales doubles présentées ici rappellent le motif taoïste du Ying et du Yang.

Variation de forme <small>Spirale 1</small>

Spirales inspirées des spirales du folio 33 r° du livre de Kells, la croix aux 8 médaillons.

La plus grande (page ci-contre) est celle qui est la plus fidèle au livre. Les spirales de ce folio sont d'une complexité inouïe si l'on tient compte de leur dimension réelle. On imagine que les artistes des scriptoria (ateliers d'enluminures) celtiques utilisaient déjà des loupes pour atteindre une telle précision.

Evolution d'un motif Spirale 11

Tétraskel du feu, motif breton inspiré du hévoud breton traditionnel, repris sur un buffet de Joseph Savina, 1938. Le hévoud, croix spiralée à 4 branches, tout comme le triskèle, croix spiralée à 3 branches, est un symbole censé porter chance.

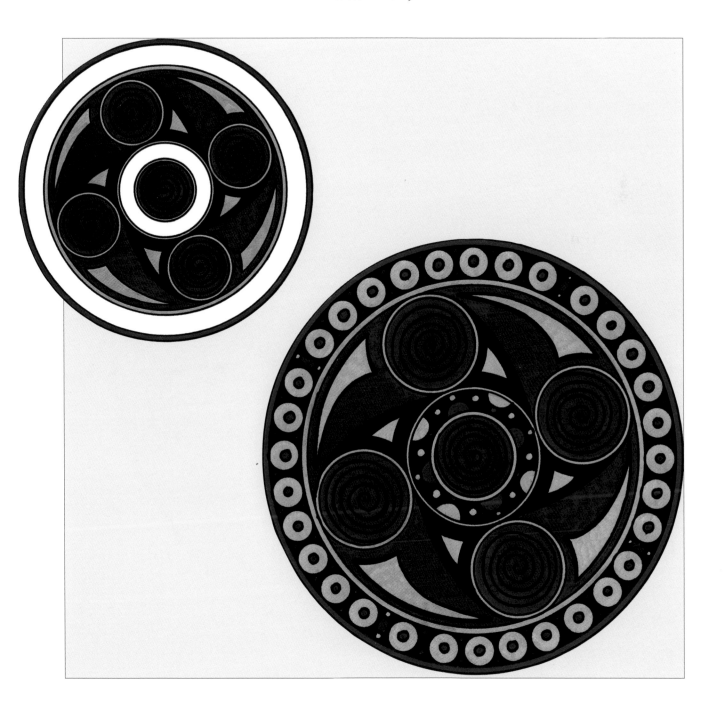

Variation de couleur _{Spirale 11}

Spirale inspirée d'une spirale du livre de Durrow. Nous avons ici des spirales triples, et la répétition par trois de certains éléments du motif suggère inévitablement le triskèle, motif panceltique, adopté notamment par les Bretons armoricains.

Variation de forme Spirale II

Tourbillons aquatiques

Dessin original inspiré des spirales du livre de Durrow.

Les multiples triskèles imbriqués sont inspirés des gravures inscrites sur la croix d'Aberlemno, Ecosse.

Dessin original. Le triskèle se délie en volutes rappelant les formes souples de l'Art nouveau.

Dessin original inspiré des créations des années trente associant les motifs celtes aux motifs Arts déco, selon la tendance du mouvement Seiz Breur.

Comment dessiner...

Trois cercles équidistants dans un grand cercle

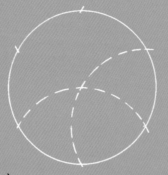

1 - Comme pour dessiner une rosace, porter six points équidistants sur le cercle.

2 - Tracer un triangle équilatéral.

3 - A l'intersection des médianes (lignes reliant le centre du cercle à un sommet du triangle) et des côtés s'inscrivent les centres de nos futurs cercles.

4 - Les cercles partant de ces centres ne se croiseront pas, si on évite que leur rayon ne dépasse les médianes.

Une spirale simple

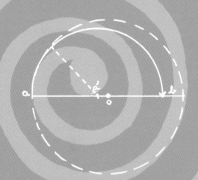

1 - Sur le diamètre du cercle, inscrire arbitrairement un point a'. Tracer un premier demi-cercle de rayon aa'. On obtient le point b.

2 - Tracer, à présent, le demi-cercle partant du centre O, de rayon Ob. On obtient le point b'.

3 - Tracer ensuite le demi-cercle de rayon a'b'. On obtient ainsi b".

4 - Ainsi de suite, tracer les demi-cercles en alternant entre les centres O et a'.

Comment dessiner...

Une spirale double

1 - Sur le diamètre ab du cercle, tracer à l'aide d'un compas les points a'et b', équidistants du centre.

2 - Tracer les demi-cercles : de centre a', de rayon aa', on obtient ainsi le point b" de centre b', de rayon bb', on obtient ainsi le point a".

3 - Tracer ensuite le demi-cercle de centre a'et de rayon a'a", on obtient ainsi b'''. Ainsi de suite, cette variation de la spirale simple consiste en une alternance de demi-cercles de centre a'et b'.

Une spirale triple

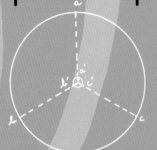

1 - Comme page 24, déterminer les points a, b et c, équidistants sur le cercle. Tracer les trois rayons du cercle sur ces points. Partant du centre, tracer un autre petit cercle. Aux intersections du petit cercle avec les trois rayons, on obtient les points a', b'et c', également équidistants.

2 - Partant de a, tracer le demi-cercle de centre a', de rayon aa'. On obtient un point d'intersection de l'arc de cercle avec la médiane suivante.

3 - Répéter l'opération avec les arcs de centre b'et c'et respectivement de rayon bb'et cc'.

4 - A l'intersection de aa'et de l'arc partant de c, on obtient a". Tracer alors l'arc au départ de a", de centre a'et de rayon a'a". Répéter l'opération pour les deux autres arcs ainsi de suite.

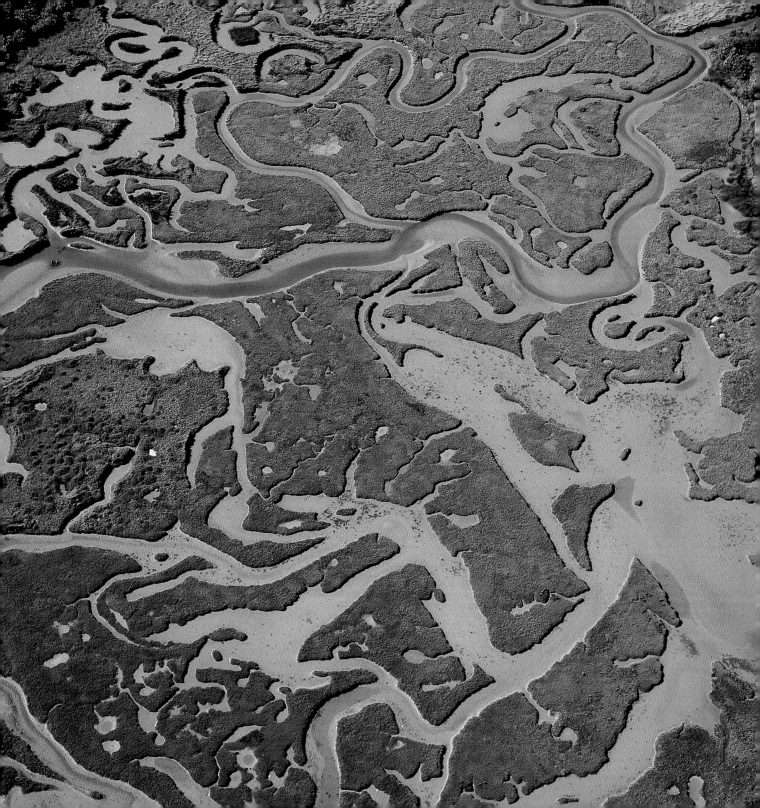

Entrelacs

Les entrelacs sont, avec la spirale, les éléments les plus reconnaissables de l'art celtique à travers les âges. Ces motifs, souvent utilisés pour recouvrir à foison la moindre surface susceptible d'être décorée, sont vraisemblablement inspirés des filigranes entrelacés de l'orfèvrerie germanique, technique à laquelle les Celtes ont été initiés dès le début du Moyen Age. Au-delà de l'horreur du vide, assez caractéristique de cet art, l'entrelacs symboliserait l'immortalité de la vie sans fin, tel le ruban qui le compose...

Evolution d'un motif Entrelacs 1

Motif inspiré d'un médaillon décoratif de l'évangile de saint Jean, livre de
Durrow, folio 129 v°. Le dessin se rapproche de certaines broches
irlandaises du haut Moyen Age. Les orfèvres irlandais maîtrisaient
de manière indéniable les techniques du filigrane, de la granulation et
de l'émail, et on imagine que les artistes des scriptoria locaux ont dû s'en
inspirer.

Variation de couleur Entrelacs 1

Frise d'entrelacs figurant sur la page du lion de saint Marc, livre de Durrow, folio 191 v°. On remarquera que cet entrelacs est en fait composé de plusieurs rubans, et non pas d'un seul comme c'est souvent le cas.

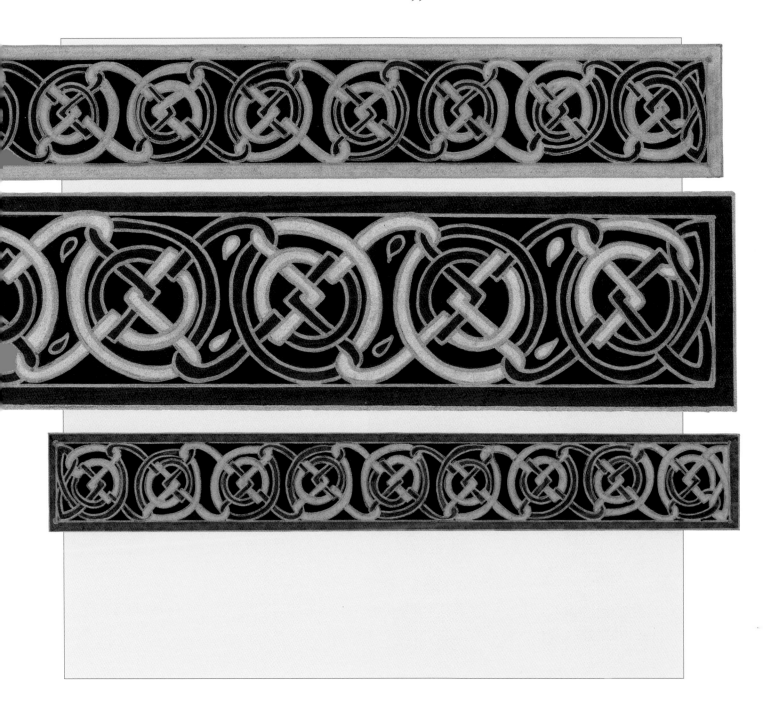

Variation de forme Entrelacs I

Les pierres gravées du nord de l'Angleterre, de l'Ecosse et du pays
de Galles, difficiles à dater précisément, figurent parmi les pièces
les plus énigmatiques de l'art celtique. Bornes marquant un territoire,
ou un lieu sacré, elles révèlent la minutie des tailleurs de pierre de l'époque.

*à gauche : Motif sculpté sur les pierres
de Collieburn et de Glammis,
Royaume-Uni.*

*à droite : Motif sculpté sur la pierre
de Nigg, Ross Shire, Royaume-Uni.*

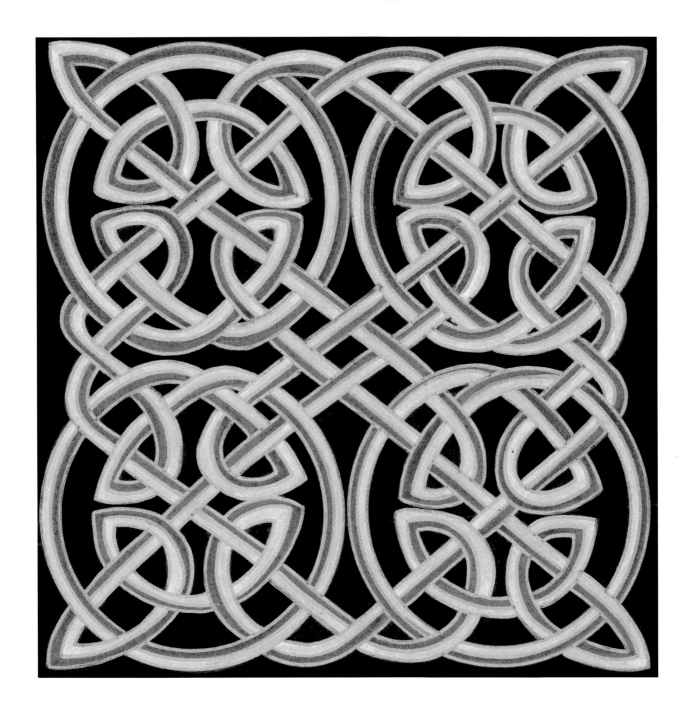

Evolution d'un motif Entrelacs 11

Motifs tirés du Dictionnaire des ornements de Racinet, datant de 1885, assemblés à la manière des pages-tapis des livres irlandais. C'est à partir du XIXe siècle que l'on commence à distinguer le répertoire graphique des Celtes du reste de l'art du Moyen Age. Ce Dictionnaire des ornements apparaît à un moment où des artistes écossais et irlandais opèrent un certain renouveau de l'art celtique, appuyé par un courant de revendications politiques.

Variation de couleur Entrelacs 11

Frises de palmettes entrelacées inspirées des ornements d'un coffre Renaissance, musée de Bretagne, Rennes. Ces palmettes, approchant des motifs de la queue de paon des broderies du pays bigouden, révèlent une certaine continuité du langage iconographique dans les arts décoratifs en Bretagne.

*Rubans entrelacés inspirés des
ornements gravés sur un coffre
gothico-Renaissance, daté de 1630,
musée de Quimper.*

Variation de forme Entrelacs II

Jusqu'à assez tard, les ébénistes bretons ont conservé des éléments
décoratifs du passé, pour satisfaire les goûts ou les habitudes locaux.
On ne sera pas surpris, dès lors, de cette appellation gothico-Renaissance
à une époque aussi tardive.

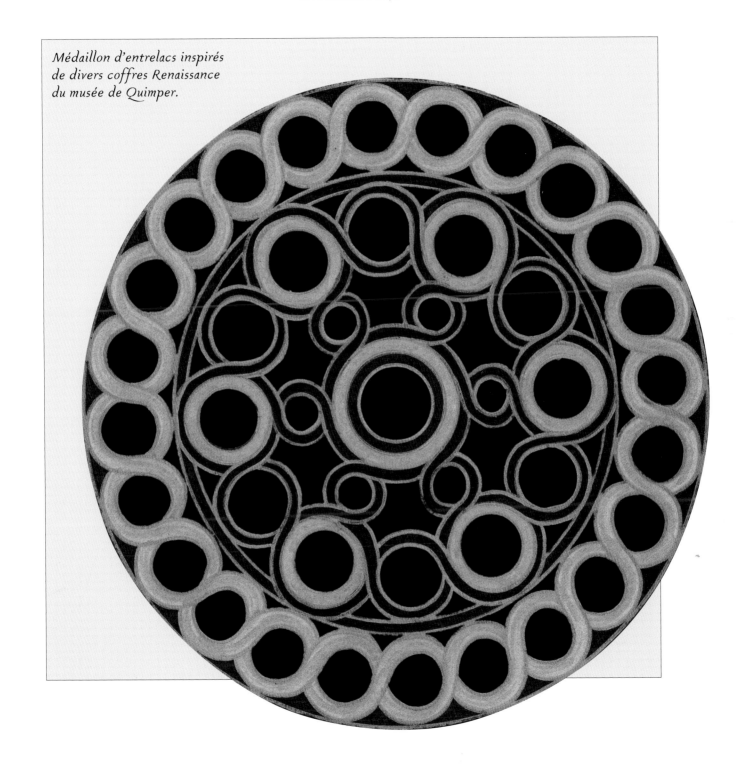

Médaillon d'entrelacs inspirés
de divers coffres Renaissance
du musée de Quimper.

Comment dessiner...

Le nœud du roi Salomon

1 - Tracer un carré de 8 unités de côté, le quadriller. Aux intersections du quadrillage, on souligne les points.

2 - Relier les points comme suit, sans tenir compte de l'entrelacs.

3 - En suivant les lignes ainsi tracées, tracer des bandes comme sur le dessin, toujours en s'aidant des points d'intersection.

4 - Remplir les espaces clos, et terminer le tracé de l'entrelacs en tenant compte de la règle du « dessus-dessous ».

Le nœud de Meigle

1 - Tracer un carré de 4 unités de côté, et à partir de son centre tracer deux cercles concentriques. Quadriller le carré.

2 - En s'aidant de ce quadrillage, tracer les premières lignes de structure du nœud, à main levée.

3 - En suivant ces lignes, tracer des bandes à main levée, sans tenir compte de la règle du « dessus-dessous ».

4 - Remplir les espaces clos, et terminer les entrelacs en tenant compte de la règle du « dessus-dessous ».

Comment dessiner...

Une frise à palmette page 38

1 - Tracer un axe horizontal. Tracer des arcs de cercle tangents dont les centres se trouvent sur cet axe. A partir du même centre, tracer de plus petits arcs de cercle afin de créer des bandes.

2 - Comme page 25 (spirale simple), tracer des spirales partant des extrémités de ces arcs de cercle.

3 - Tracer une bande horizontale parallèle à l'axe, la relier aux spirales ainsi créées. Tracer des petits cercles sur les côtés des grands arcs de cercle : leur centre est l'intersection de l'axe et des arcs de cercle, le rayon la largeur de la bande.

4 - Terminer les entrelacs en tenant compte de la règle du « dessus-dessous ».

Une frise d'entrelacs

1 - Tracer un axe horizontal, et deux cercles de même rayon dont les centres se trouvent sur cet axe. Grâce à un compas, reporter la distance entre ces deux centres sur l'axe.

2 - Tracer deux autres cercles, partant des points déterminés au compas. Tracer ensuite des diagonales reliant les centres des cercles et les intersections des cercles. Enfin, un peu au-dessus et au-dessous des intersections, tracer des lignes parallèles à l'axe horizontal.

3 - Tracer des bandes en s'aidant des lignes tracées précédemment. On peut faire ce tracé à la règle et au compas ou à main levée.

4 - Terminer les entrelacs en tenant compte de la règle du « dessus-dessous ».

Faune et flore

Dans la légende celtique, les hommes et les dieux changent de formes à leur gré pour devenir animaux, végétaux et même minéraux. Ces transformations plus ou moins volontaires sont également le moyen d'échapper au monde réel. L'art celte, art de l'imaginaire, est ainsi le reflet de cette faculté d'errance et d'incrédulité face aux illusions de la Création : les formes s'emmêlent, les membres deviennent branches, les feuilles deviennent les yeux ou les têtes d'animaux fabuleux...

Evolution d'un motif Faune et flore 1

Inspiré du disque en or d'Auvers-sur-Oise, Val-d'Oise, fin du Vᵉ, début du IVᵉ siècle avant J.-C. Ce dessin donne une assez bonne idée de la liberté prise par les artistes celtes devant certains motifs d'origine méditerranéenne, et même orientale. Ici, un motif de dragons affrontés entourant un arbre de vie devient un motif de lires et de lotus. Le tout, par un jeu de symétrie, suggère une fleur étrange.

Variation de couleur Faune et flore 1

Créations personnelles inspirées des motifs de queue de paon des broderies traditionnelles du pays bigouden. Le motif animalier de la queue de paon, stylisation de la palmette classique, selon certaines sources, symbolise assez bien cette confusion récurrente entre le monde animal et le monde végétal, dans les contes irlandais ou gallois.

Variation de forme Faune et flore 1

Oiseaux entrelacés, inspirés du livre de Lindisfarne. Les oiseaux, et en particulier les têtes d'oiseaux, figurent parmi les motifs animaliers les plus appréciés des artistes celtes, de par la facilité avec laquelle ils ont pu les transformer en volutes végétales sur maintes pièces métalliques depuis la haute antiquité. Au Moyen Age, c'est surtout leurs corps graciles qui ont intéressé les artistes pour en faire des entrelacs complexes.

Chiens entrelacés, tirés du livre
de Lindisfarne. Les Germains, parmi
lesquels on compte les Angles
et les Saxons qui ont débarqué dans
l'actuelle Grande-Bretagne,
vers le IVᵉ siècle de notre ère,
affectionnaient particulièrement
le motif du chien, aux allures
de dragon (très semblable aux proues
des drakkars vikings). Les divers
échanges entre l'Irlande, l'Ecosse
et l'Angleterre, à cette époque,
auront permis l'adoption du chien
par les artistes celtes.

Evolution d'un motif Faune et flore II

Arbre de vie et oiseaux entrelacés, tirés du livre de Kells, folio 2 r°. L'arbre de vie figure parmi les motifs les plus représentés des livres enluminés celtiques. Le motif, sans doute inspiré des anciens arbres de vie mésopotamiens, serait passé dans le répertoire pictural chrétien pour figurer l'arbre de Jessé, grâce aux Byzantins. En tout cas, les artistes celtes, friands de formes végétales et d'entrelacs, ont intégré très facilement l'arbre de vie dans leur univers graphique.

Variation de couleur Faune et flore II

Deux chiens et oiseaux, tirés du livre de Lindisfarne. Les chiens pour
le monde terrestre, les oiseaux pour les airs : symboles de la communion
entre le corps et l'esprit.

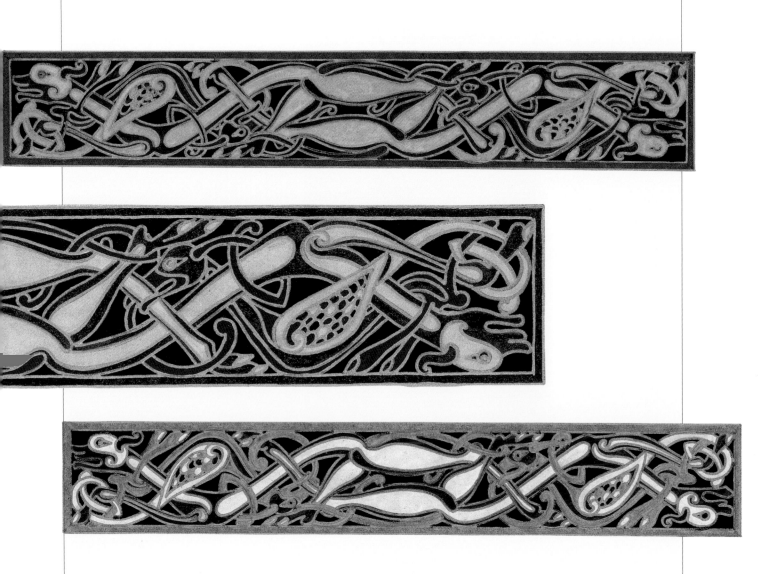

Deux chiens entrelacés en forme de lemniskat, entourés de l'arbre de vie, motifs inspirés d'un panneau de l'église de Christ Church Place, Dublin, Irlande. Le lemniskat, ruban continu en forme de 8, symbolise dans la tradition indienne l'idée d'harmonie universelle et de cycle infini.

Variation de forme Faune et flore II

Deux oiseaux en symétrie, inspirés du livre de Kells, folio 124 r°. Ces deux oiseaux sont vraisemblablement deux aigles, symboles de saint Jean. Outre saint Jean, on retrouve dans les livres de Kells, Durrow et Lindisfarne les représentations traditionnelles de saint Marc comme le lion ailé, saint Luc comme le bœuf, et saint Matthieu comme l'ange.

Bestiaire

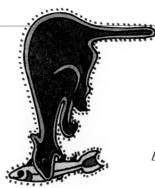

Lion de saint Marc, livre de Lindisfarne, folio 93 v°.

Paon, livre de Kells,
folio 309 r°.

Loutre et saumon,
livre de Kells, folio 34 r°,
page du Monogramme.

Phalène, livre de Kells,
folio 34 r°, page
du Monogramme.

Serpent, pierre picte
gravée du IVe-Ve s.
avant J.-C., Ecosse.

Chats et souris se disputant une hostie, livre de Kells,
folio 34 r°, page du Monogramme.

Cerf du Chaudron
d'argent de Gundestrup,
Danemark, Ier s.
après J.-C.

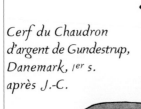

Lièvre et lévrier,
livre de Kells, folio 48 r°.

Aigle de saint Jean, livre d'Armagh,
VIIIe-IXe siècle, Irlande.

Comment dessiner...

Le motif bigouden de plume de paon

1 - Tracer un axe, et deux cercles équidistants.

2 - Tracer une première série d'arcs de cercle partant d'un point a ; le point b, intersection de l'axe et du plus petit cercle, sera le centre de la deuxième série d'arcs de cercle.

3 - Rajouter une pointe à l'ensemble, et fermer les arcs de cercle qui dépassent.

4 - Orner l'ensemble de rayures.

Comment dessiner...

Chiens entrelacés page 51

1 - Avec l'aide de deux axes, tracer les silhouettes des deux chiens.

2 - Tracer les contours et clarifier le dessin en prenant soin des intersections, tracer en pointillé les queues et les oreilles.

3 - Clarifier l'ensemble en prenant soin des intersections, et de la règle du dessus dessous des entrelacs.

Deux oiseaux entrelacés (tirés du livre de Kells)

1 — Avec l'aide d'un axe, tracer les silhouettes des deux oiseaux.

2 - Tracer les contours et clarifier le dessin en prenant soin des intersections, tracer en pointillé les oreilles.

3 - Clarifier l'ensemble en prenant soin des intersections, et de la règle du dessus dessous des entrelacs.

Labyrinthes

Depuis l'âge du bronze, jusqu'à l'Irlande du Moyen Age, le labyrinthe délace ses méandres sur des supports aussi divers que les mégalithes des tumulus de la préhistoire ou les folios de Bibles précieuses. Certains y voient des spirales qui auraient succombé à la tentation de l'angle droit. Pour d'autres, les vicissitudes de la vie seraient configurées dans ce symbole mystérieux... comme le chemin d'une quête sans fin.

Evolution d'un motif Labyrinthes 1

Page-tapis, composition inspirée de motifs tirés des livres de Kells
et de Lindisfarne. Dans les livres enluminés celtiques, ces pages-tapis sont
des pages entièrement couvertes de motifs. Les entrelacs y sont parfois
si complexes qu'ils suggèrent des chefs-d'œuvre perdus de l'art textile.
Des échanges d'objets précieux entre cours royales et monastères celtiques
auraient pu permettre à certains tapis orientaux de toucher le sol irlandais...
et d'inspirer certains artistes locaux.

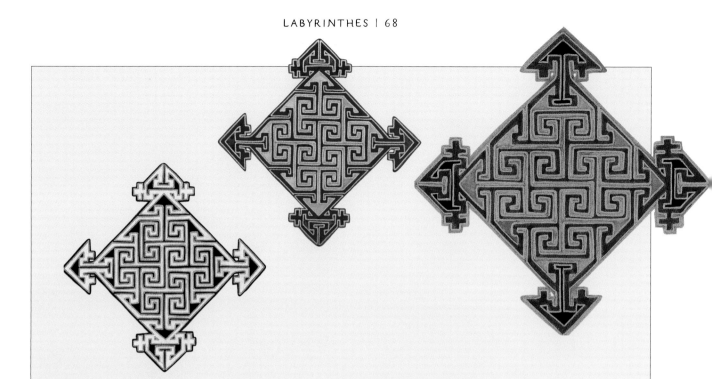

Variation de couleur Labyrinthes 1

Motif central tiré du livre de Lindisfarne. Dans les livres enluminés,
les labyrinthes servent le plus souvent de bordures pour encadrer une figure
du Christ. On les trouve aussi en coin d'une bordure d'entrelacs, pour
rompre la monotonie décorative. Ici, ainsi que dans le reste du chapitre,
le labyrinthe est isolé et traité comme un sujet à part entière.

Variation de forme Labyrinthes 1

Ci-contre : Motif central tiré du livre de Kells, bordure adaptée d'un motif du livre de Lindisfarne.

Page de droite : Médaillon central tiré du livre de Kells. Le motif du labyrinthe se présente dans de nombreuses cultures. Ce qui en fait sa spécificité celtique, c'est le traitement systématique en diagonale.

Variation de couleur Labyrinthes II

Motif central tiré du livre de Kells. Le motif central, d'une étrange modernité, pourrait faire penser aux circuits d'un microprocesseur.

Variation de forme Labyrinthes II

On découvre également, dans les livres enluminés celtiques, le labyrinthe sous sa forme traditionnelle circulaire telle qu'on la retrouve sur ces deux pages. Pendant l'Antiquité, le motif du labyrinthe circulaire était déjà représenté sur des pièces minoennes — serait-ce en souvenir de la construction de Dédale ? — et sur d'étranges gravures rupestres de la vallée de Camonica en Italie. Plus proche de nous, on se souviendra du mystérieux labyrinthe du pavement de la cathédrale de Chartres.

Page de gauche : Médaillon central extrait du livre de Mac Durnam.

Ci-contre : Médaillon central extrait du livre de Kells.

Comment dessiner...

Un labyrinthe extrait du livre de Kells

1 - Tracer un carré de 6 x 6 unités et son quadrillage en diagonale, ce quadrillage en diagonale sera repris dans tout ce qui suit. Tracer ensuite les premières diagonales.

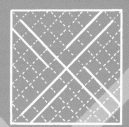

2- Continuer en traçant le prolongement de ces diagonales, vous obtiendrez les premiers angles droits.

3 - Tracer enfin les lignes parallèles aux côtés, pour finir les bordures, et remplir les triangles ainsi délimités.

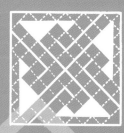

Une bande de labyrinthe simple extraite du livre de Kells

1 - Tracer une bande de 3 unités de large
avec son quadrillage en diagonale, comme
précédemment. Tracer également
les premières diagonales équidistantes,
les prolonger par de petits angles droits.

2 - Tracer des lignes parallèles aux côtés
de la bande, partant des angles tracés
auparavant. Ces lignes se terminent en angles
aigus.

3 - Remplir comme suit avec deux petits
triangles isocèles de même taille, ayant pour
base les lignes parallèles tracées en 2.

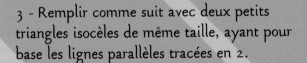

Comment dessiner...
Une bande de labyrinthe plus complexe
(variante du labyrinthe simple page 77)

1 - Tracer une bande quadrillée de largeur 4,5 unités et 16 de longueur. Les premières diagonales se terminent en angles droits.

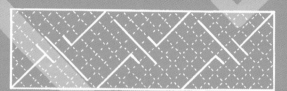

2 - Tracer les lignes parallèles aux côtés de la bande.

3 - Remplir les triangles.

Un labyrinthe extrait du livre de Kells

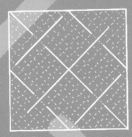

1 - Quadriller en oblique un carré de 10 unités. Tracer les premières diagonales.

2 - Prolonger les diagonales. On s'aidera en utilisant le point central comme axe d'une symétrie.

3 - Dessiner une bordure d'une demi-unité en reliant les angles ainsi obtenus. Remplir les espaces clos. Terminer les spirales par de petits angles droits.

Abécédaire

Le monde celtique découvre véritablement l'art du livre avec l'arrivée des premiers missionnaires chrétiens, au tout début du Moyen Age. S'opère alors une fusion culturelle entre la civilisation de l'écrit et celle de l'imaginaire, qui produit des chefs-d'œuvre comme les livres de Kells, Durrow, et Lindisfarne. Dans un esprit issu des anciennes créations celtiques, les lettres prennent la forme d'animaux et de plantes... et ces inventions irlandaises influenceront, par la suite, tout l'art du livre de l'Europe médiévale.

Grand A : *Inspiré du livre de Kells.*
A : *Création originale.*
B : *Création originale.*
C : *Création originale.*
D : *Inspiré du livre de Kells.*

E : Inspiré du livre de Kells.
F : Inspiré du livre de Kells.
G : Création originale.
Grand H : Création originale.
H : Inspiré du livre de Kells.

I : Création originale.
Grand J : Création originale.
J : Création originale.
K : Inspiré du livre de Kells.
L : Inspiré du livre de Kells.

M : Inspiré du Cathach, attribué
à saint Columba, vers 600.
N : Inspiré du livre de Lindisfarne.
O : Inspiré du livre de Lindisfarne.
Grand O : Inspiré du livre de Lindisfarne,
le médaillon central a été évidé pour plus
de légèreté.
P : Création originale.

Q : Inspiré du livre de Durham Cassiodorus.
R : Adaptation du livre de Kells.
Grand R : Inspiré du livre de Kells.
S : Création originale.

T : Inspiré du livre de Kells.
U : Création originale.
V : Création originale.
W : Création originale.

X : Inspiré de la page du Monogramme
du livre de Kells.
Y : Création originale.
Z : Zi-Rod, d'après un motif gravé de façon
récurrente sur des pierres écossaises.

Spirales

*D'après la boucle de Lagore,
Irlande, vers 800 après J.-C..*

*Spirale inspirée
d'un détail du folio 33 r
du livre de Kells,
début du IXᵉ siècle.*

Triskèle :
création originale
de l'auteur.

Entrelacs

antérieurs au XIIᵉ siècle

*Entrelacs de la stèle
de Britford, près de
Salisbury, en Angleterre.*

*Entrelacs de la stèle
d'Ulbster, Caithness county
en Ecosse.*

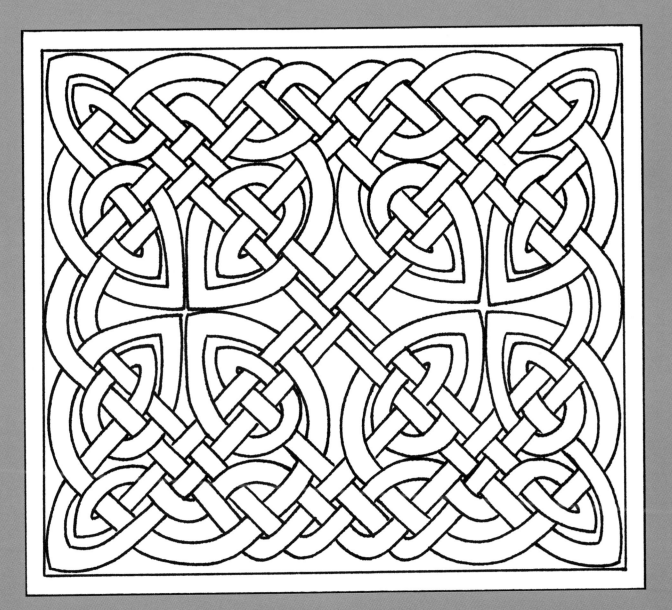

Entrelacs de la stèle de St. Madoes, Perthshire en Ecosse.

Faune et flore
Bestiaire

Oiseaux entrelacés,
livre de Kells,
début du IXᵉ siècle.

Oiseaux entrelacés,
livre de Kells,
début du IXᵉ siècle,
folio 32 v.

*Dragons entrelacés,
livre de Kells,
début du IXe siècle,
folio 29 r.*

Labyrinthes
antérieurs au XIIe siècle

Labyrinthe, adapté de la croix de Nigg, Northern islands en Ecosse.

Labyrinthe du livre de Kells, début du IXe siècle.

Labyrinthe inspiré du livre de Lindisfarne, fin du VIIᵉ siècle.

Bibliographie

Art celtique, généralités

L'Art celte, Lloyd et Jennifer Laing,
éditions Thames and Hudson, Londres, 1992.
Les Celtes, Paul-Marie Duval, collection
l'Univers des Formes, NRF Gallimard, Paris, 1977.
Le Monde celtique, Miranda Green, collection Tout l'art,
Flammarion, Paris, 1996.
L'Art médiéval en Irlande, Peter Harbison,
éditions Zodiaque, Paris, 1998.
Celtic Art and Design, Iain Zaczek, éditions Moyer Bell,
Londres, 1996.
Early Celtic Designs, Ian Stead et Karen Hughes,
British Museum Press, Londres, 1997.
Le Livre de Kells, Bernard Meehan,
éditions Thames and Hudson, Londres, 1994.
Celtic Borders and Decoration, Courtney Davis,
éditions Blandford, Londres, 1992.
Celtic Designs and Motifs, Courtney Davis,
Dover Publications, New York, 1991.
Celtic and Old Norse Designs, Courtney Davis,
Dover Publications, New York, 2000.

Art celtique, méthodes de construction

Celtic Art, George Bain, éditions Constable,
Londres, 1951.
Celtic Design, A Beginner's Manual, Aidan Meehan,
éditions Thames and Hudson, Londres, 1991.
Celtic Design, Spiral Patterns, Aidan Meehan,
éditions Thames and Hudson, Londres, 1991.
Celtic Design, Maze Patterns, Aidan Meehan,
éditions Thames and Hudson, Londres, 1991.
Celtic Design, Animal Patterns, Aidan Meehan,
éditions Thames and Hudson, Londres, 1991.

Celtic Design, Illuminated Letters, Aidan Meehan,
éditions Thames and Hudson, Londres, 1991.
Celtic Design, The Tree of Life, Aidan Meehan,
éditions Thames and Hudson, Londres, 1991.
Celtic Design, Knotwork : The Secret Method of the
Scribes, Aidan Meehan, éditions Thames and Hudson,
Londres, 1991.
Symboles bretons et celtiques, Michel Le Gallo,
éditions Coop Breizh, Spézet, 1999.

Artisanat celtique

Celtic Crafts, David James, éditions Blandford,
Londres, 1997.
Ornementation bretonne, Charles le Roux,
éditions Coop Breizh, Spézet, 1984.
Ar Seiz Breur, sous la direction de Daniel Le Couédic
et Jean-Yves Veillard, Terre de Brume,
musée de Bretagne, Rennes, 2000.
L'Or des Celtes, Christiane Eluère, Office du livre,
Fribourg, Suisse, 1987.

Monde celtique

Les Celtes, EDDL, 2001.
Celtic Beasts, Courtney Davis et Dennis O'Neill,
éditions Blandford, Londres, 1999.
Emblèmes et symboles des Bretons et des Celtes,
Divi Kervella, Coop Breizh, Spézet, 1998.
Les Symboles des Celtes, Sabine Heinz,
Guy Trédaniel éditeur, Paris, 1998.
La Civilisation celtique, Françoise Leroux et Christian-J.
Guyonvarc'h, éditions Payot, Paris, 1995.
Les Celtes et la civilisation celtique, Jean Markale,
éditions Payot, Paris, 1969.
Atlas historique du monde celte, Angus Konstam,
éditions Saint-André-des-Arts, Paris, 2002.